Le petit chevalier qui combattait les monstres

GILLES TIBO
GENEVIÈVE DESPRÉS

Éditions
SCHOLASTIC

Une toile d'araignée en forme de pointes de gâteau au chocolat.
Trois souris dorment dans le lit.
Les cheveux ébouriffés du petit chevalier.
Pyjama de chevalier.

Il était une fois un petit chevalier qui ne se battait jamais, car il n'y avait aucun ennemi dans la région. Il passait de longues journées à lire et à planter des fleurs... et de longues nuits à rêver et à ronfler...

Mais un matin, *BANG! BANG! BANG!* Quelqu'un frappa à la porte de sa forteresse en criant :
– AU SECOURS! À NOUS!! À L'AIDE!!!

Cheveux dressés sur la tête du petit chevalier.
Deux chats se sauvent. Ils n'aiment pas les champignons.
Monsieur et madame Signoret tremblent de partout.

Le petit chevalier s'éveilla en sursaut. Il ouvrit la porte et aperçut ses voisins :

– Au secours! À l'aide! Nos triplés sont prisonniers des monstres de la forêt! cria madame Signoret.

– Le premier est prisonnier d'un ogre; le deuxième, d'une sorcière; le troisième, d'un fantôme! ajouta monsieur Signoret, en tremblant.

Le petit chevalier répondit aussitôt :

– Attendez! Je reviens tout de suite!

Épée toute petite,
complètement inutile,
mais très jolie.

Groseille ne porte
aucune armure.

En vitesse, le petit chevalier fit le tour de toutes les pièces de sa forteresse pour y chercher son équipement.

Il trouva son épée dans l'évier... son plastron sur la télévision... sa cape rouge dans les toilettes.

Plastron sur la
télévision.

Des bottes pointues,
relativement neuves,
qui font un peu mal
aux pieds.

Il trouva ses bottes derrière une porte...
ses gants sous un toboggan.

Enfin tout habillé en chevalier, il avala un grand verre de lait, puis il dévora un énorme morceau de gâteau au chocolat.

Cape rouge...
parce que
l'autre, la
bleue, est au
lavage.

Le petit chevalier sauta sur son cheval
et ordonna aux Signoret :
– Prenez refuge dans ma forteresse! Moi,
je vais accomplir mon destin!

En galopant, le petit chevalier descendit la
montagne. Il traversa des champs couverts
de brume. Puis il s'engouffra dans la forêt
profonde. Le vent gémissait entre les arbres.
Les ombres s'allongeaient comme des serpents.

Soudain, son cheval s'arrêta et se mit à
trembler. Au loin, se dressait le refuge de l'ogre.

Une feuille d'érable tremble de peur.
Un écureuil se sauve derrière un arbre.
Groseille est cachée ici.
Une couleuvre qui a peur d'une couleuvre se sauve en compagnie d'une autre couleuvre qui a peur des couleuvres.
Une fleur tremble de peur.
Deux lièvres se précipitent dans un trou.
De gros champignons tremblent de peur.

La sorcière
se sauve en
abandonnant les
lieux du drame.
Un crapaud était
caché dans le foin.
Noiro, le chat
de la sorcière,
déteste la fumée.
Le deuxième des triplés
adore le petit chevalier.
Groseille se sauve
en courant.

En vitesse, le petit chevalier grimpa
sur le toit de la maison. Il boucha
la cheminée avec du foin.

Quelques minutes plus tard, la fumée
envahit l'intérieur de la cuisine.
La sorcière sortit en suffoquant.
Le petit chevalier gonfla ses poumons
d'air pur et se précipita dans la maison
pour libérer le jeune prisonnier.

À la vitesse de l'éclair, le petit chevalier ramena le deuxième garçon à ses parents. Il ingurgita un autre *énooorme* morceau de gâteau au chocolat, puis il s'enfonça encore plus loin au cœur de la forêt... Soudain, son cheval hennit d'effroi. Près d'un château abandonné, un fantôme apparut en gesticulant. Le plus grand des triplés était attaché à un arbre.

Un méchant corbeau est perché sur la cheminée.

Le petit chevalier regarda le fantôme droit dans les yeux.
D'une voix douce et calme, il lui chuchota quelques mots incompréhensibles, du genre :
– M... M... M... Megniiim, megnaaam, megnooom, megnuuum...

Le fantôme, qui ne comprenait rien, s'approcha, s'approcha, s'approcha, s'approcha. Lorsqu'il fut tout près, le petit chevalier lui hurla dans les oreilles :
– AAAAARRRRRGGGGGHHHHH!!!

Deux oiseaux regardent la scène en faisant des paris.

Le fantôme n'a pas l'air très gentil.

Livre de blagues sur les fantômes.

Clac! Clac! Clac!
Le troisième des triplés claque des dents. C'est la première fois qu'il voit un vrai fantôme.

Groseille se cache quelque part.

Effrayé par les cris féroces du petit chevalier, le fantôme s'enfuit dans la forêt. Le petit chevalier libéra le plus grand des triplés qui, aussitôt détaché, courut à toutes jambes jusque chez lui.

Heureux d'avoir accompli sa mission, le petit chevalier fit une pause. Il cueillit des fleurs, parla aux oiseaux, siffIota une chanson... Mais, soudain, le sol trembla sous ses pieds. *BOUM... BOUM... BOUM...* L'ogre, la sorcière et le fantôme s'approchaient d'un pas lourd et menaçant :

– Je vais te dévorer, marmonna l'ogre.

– Je vais te transformer en citrouille, grogna la sorcière.

– Je hanterai le dessous de ton lit, ajouta le fantôme.

Les yeux de l'ogre prouvent qu'il est très fâché.
Un oiseau, apeuré, vole sur le dos.
Les yeux de la sorcière prouvent qu'elle est très, très fâchée.
Les ongles de la sorcière sont très pointus.

Le petit chevalier planta son épée dans la terre et enleva son armure... Puis il se coucha dans l'herbe :

- Allez-y! Dévorez-moi! Transformez-moi en citrouille! Hantez le dessous de mon lit! Vous êtes les plus forts, les plus méchants, les plus effrayants!

Surpris par cette réaction, les monstres se penchèrent au-dessus du petit chevalier pour demander :

- Mais... Mais tu n'es pas effrayé? Tu ne trembles pas de peur? Tu ne te sauves pas?

- Non! JE VOUS AIME! répondit le petit chevalier en souriant et en ouvrant les bras.

La stupéfaction se lit sur
le visage du fantôme.
L'étonnement
se lit sur le
visage de
l'ogre.
La surprise se
lit sur le
visage de la
sorcière.
Sourire franc du
petit chevalier.
Le bout d'une
branche pique le dos
du petit chevalier.

Les monstres, étonnés par l'attitude du petit chevalier, demandèrent :
– Quoi? Peux-tu répéter ce que tu viens de dire?
Le petit chevalier se releva. En improvisant une danse inconnue de tous, il se mit à chanter :
– Je vous aime! Jeee vous aiiiime! Jeee vous aiiiime! Jeee vous aiiiime! Jeee... vous aiiiime!

Les monstres se regardèrent avec étonnement.
– C'est la première fois que quelqu'un m'aime, soupira la sorcière.

– Moi aussi, ajouta l'ogre.

– Et moi donc, renchérit le fantôme.

– Comme c'est agréable! ENCORE! ENCORE! ENCORE! demandèrent les monstres.

Pendant que le petit chevalier dansait en répétant ses mots d'amour, la sorcière dit à l'ogre :
– Tu as de beaux yeux, tu sais.

Puis à tour de rôle, ils se firent des compliments :
– Tu as de belles dents!

– Tu as un beau sourire!

– Tu as de belles jambes!

- Tu as un joli menton!

- Tu as de beaux cheveux!

- Tu as de belles mains!

- Tu as une belle voix!

- Tu as de beaux pieds

- Tu as de belles oreilles!

Après avoir chanté et dansé avec ses nouveaux amis, le petit chevalier se rhabilla, grimpa sur son cheval et demanda aux monstres :

- Désirez-vous beaucoup plus d'amour et de tendresse ?

- OUI! OUUI! OUUUI! chantèrent les monstres à l'unisson.

- Alors, venez avec moi! répondit le petit chevalier.

L'ogre, la sorcière et le fantôme suivirent le petit chevalier. En chantant, ils quittèrent la forêt profonde, puis ils montèrent la grande côte qui menait à la forteresse.

Le soleil brille pour
tout le monde.
Le petit
chevalier
est heureux.
La sorcière ne
s'ennuie pas
de son balai.
Le cœur de
l'ogre bat
très fort.
Groseille
joue avec
Noiro.
Le fantôme comprend que sa vie
ne sera plus jamais la même.

Attirés par les chants, tous les habitants du village accoururent. En souriant, l'ogre, la sorcière et le fantôme vidèrent leurs poches et donnèrent des cadeaux à chacun.

Le petit chevalier alluma un grand feu de joie. On chanta. On inventa des danses. On mangea *d'énoooormes* gâteaux au chocolat.

À minuit, les parents voulurent coucher leurs enfants, mais ceux-ci refusèrent d'aller au lit...

Alors, pour aider les enfants à s'endormir,
le petit chevalier demanda aux monstres
de leur chanter des berceuses... douces
comme le goût du chocolat!